Il n'y a qu'un seul sommet en haut de la montagne mais les chemins pour y parvenir sont variés

Pour René

le 27 février 2001

Dominique

SUR LES TRACES D'AMKOULLEL
L'ENFANT PEUL

Les citations qui figurent dans ce volume sont extraites des ouvrages publiés par Amadou Hampâté Bâ ainsi que d'articles, de conférences, de textes inédits et d'entretiens (presse écrite, radio, télévision) et sont accompagnées de documents (dessins, photographies). Ces textes et documents, qui proviennent du "Fonds d'archives Amadou Hampâté Bâ" nous ont été communiqués par sa légataire littéraire Hélène Heckmann à qui nous adressons tous nos remerciements.

ISBN 2-7427-3103-2

Illustration de couverture :
© Philippe Dupuich

Amadou Hampâté Bâ

Sur les traces d'Amkoullel l'enfant peul

Photographies de Philippe Dupuich

Coordination et choix des textes
par Bernard Magnier

BABEL

Sommaire

I

Je suis…

II

Je n'ai jamais cessé
d'être un enfant

III

A l'école
du caméléon

IV

Vous avez dit
"Hampâté Bâ le sage"…
laissez-moi rire !

I

Je suis…

Je suis une calebasse au fil de l'eau.

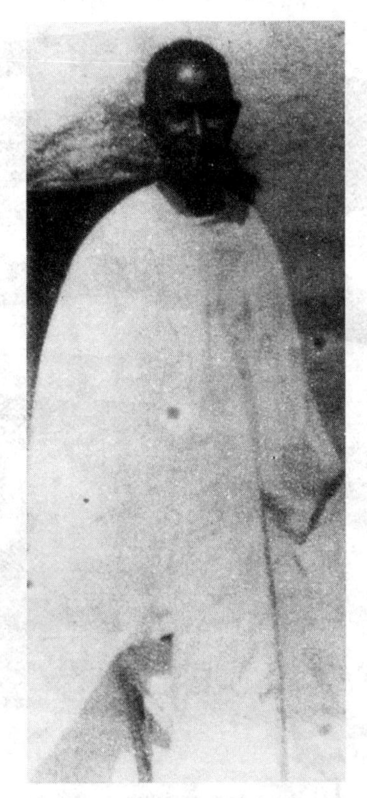

A Bandiagara, non daté

Je suis un diplômé de la grande université de la Parole enseignée à l'ombre des baobabs.

Je suis à la fois religieux, poète peul, traditionaliste, initié aux sciences secrètes peule et bambara, historien, linguiste, ethnologue, sociologue, théologien, mystique musulman, arithmologue et arithmosophe. J'aime rire et faire rire. Sous cet angle, je ne suis pas loin des comédiens. Je suis conteur.

CI-CONTRE :

• En haut : *A l'Unesco, vers 1965*

• *Conférence générale de l'Unesco, Paris, 1970*

• En bas : *Paris, 1982*

CI-DESSUS : Paris, 1975

Je suis un autodidacte de la langue française, et un autodidacte de la brousse malienne. Je suis de la pléiade des cadets du XXe siècle, époque où, dans mon pays, apprendre à lire et à écrire en français était plutôt une malédiction. Je ne regrette nullement d'avoir été ce maudit, car la connaissance du français me permet un commerce intellectuel plus élargi, et c'est grâce à cette connaissance qu'aujourd'hui je vous demande de multiplier nos relations humaines, afin de nous mieux connaître, pour nous aider de façon satisfaisante.
Sinon, ce que vous ferez pour nous, sans nous, sera comme un vêtement que vous n'aurez pas confectionné sur mesure pour nous.
Le résultat sera que vous aurez perdu l'étoffe, sans que nous nous soyons habillés.

12

Je suis un autodidacte de langue française et un autodidacte de la brousse malienne. Je suis de la pléiade des cadets du 20e ~~(XX)~~ siecle epoque où dans mon pays apprendre à lire et a ecrire en français était plutôt une malédiction. Je ne regrette nullement d'avoir été ce maudit car la connaissance du français me permet un commerce intellectuel plus élargi et de vous ~~dire~~ demander ~~de~~ de multiplier nos relations humaines qui ~~nous~~ vous permettront de nous mieux connaître pour nous aider bien.

Ce que vous ferez pour nous sans nous sera comme un vêtement que vous n'avez pas confectionné sur mesure pour nous.

Le resultat sera que vous aurez perdu ~~de l'etof~~ l'étoffe sans que nous, nous soyons habillés.

C'est encore un long feu qu'il faut éviter

merci

Je me préoccupe peu de savoir
ce qu'on pense de moi.

Dans son bureau à Treichville (Abidjan), vers 1966

Qu'on me critique ou qu'on m'admire
me laisse indifférent.

Je ne suis pas historien, je suis plutôt rapporteur de l'histoire.

Je ne suis pas universitaire, et, hélas pour ma carte de visite, je n'ai aucun titre à y coucher (...) mais j'ai eu un grand privilège : celui d'avoir été à l'école des "vieillards". Cette fréquentation m'a permis de demander, écouter, consigner, comparer et surtout méditer afin de pouvoir m'adapter comme il se doit.

II

Je n'ai jamais cessé d'être un enfant

A Sanga

Un pays situé sur le Niger moyen entre Diafarabé et Diré, celui où fleurit la poésie peule, où les *bambâdos* – musiciens, poètes et conteurs – chantent les guerres du temps passé et les exploits des chefs dans une langue délicatement tissée, le peul.

Vaste plaine où serpentent le Niger, le Diaka, le Bani et leurs innombrables bras en un prodigieux réseau de canaux, de rivières, de calmes nappes d'inondation où frémissent au vent, à perte de vue, en prairies sans limites, les riz sauvages. Mésopotamie soudanaise où, à la crue, réfugiés sur leurs taupinières d'argile, les villages sont des îles semées sur un océan d'herbe et d'eau. Pays qui est, dit le poète peul Kurka "un paradis terrestre où la beauté de l'homme vient rehausser celle de la végétation".

La falaise de Bandiagara depuis Tiréli

Un village dogon dans la falaise de Bandiagara, près de Tiréli

Greniers à mil à Bandiagara

Bandiagara n'avait cessé de se développer. Elle était devenue la capitale renommée et florissante du royaume toucouleur du Macina, dirigé de main de maître par Tidjani (fils de) Amadou Seydou Tall (que nous appellerons désormais, pour simplifier, Tidjani Tall), tandis que la partie ouest de l'ancien empire toucouleur d'El Hadj Omar restait, elle, sous l'autorité du fils aîné d'El Hadj Omar : Ahmadou Cheikou, sultan de Ségou et commandeur des croyants.

Mountaga Alpha Macky Tall, chef de village de Bandiagara et gardien des reliques d'El Hadj Omar

Le Toguna, lieu de rencontre traditionnel à Bandiagara

Cuisine dogon à Bandiagara

Façade de l'ancien palais des successeurs d'El Hadj Omar à Ségou

EL HADJ OMAR (1797-1864)

Chef religieux, grand maître de la confrérie islamique tidjaniya et grand conquérant toucouleur dont l'empire, après avoir vaincu et absorbé l'empire peul du Macina, s'étendit depuis l'est de la Guinée jusqu'à Tombouctou.

Pâté Poullo, grand maître d'initiation peule et grand-père maternel d'Amadou Hampâté Bâ, avait tout abandonné afin de suivre la voie religieuse d'El Hadj Omar.

PAGE CI-CONTRE :

Arbre généalogique d'El Hadj Omar
conçu et réalisé par Amadou Hampâté Bâ

st. VIII

A-1

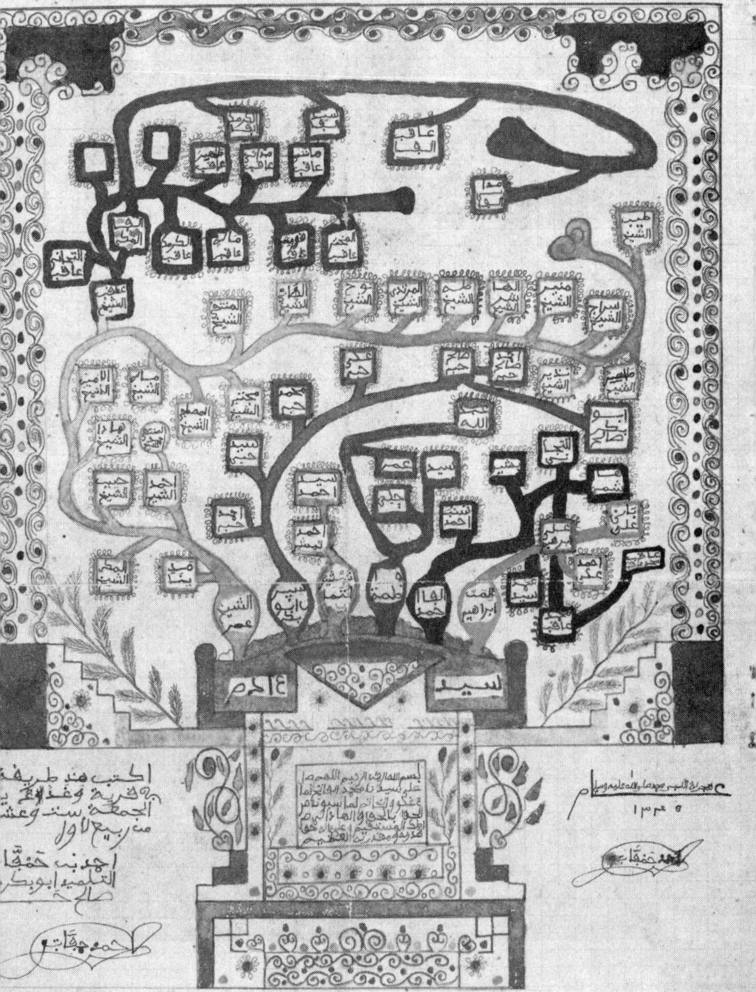

La rivière Yamé à Bandiagara

Je n'ai jamais cessé d'être un enfant. Quand quelqu'un me dit "père" ou "papa", je me revois en train de placer mon piège ou en train de marauder dans le jardin du commandant.

Mon enfance a été comme une terre glaise dans laquelle on a mis des trous comme dans le couscoussier. Ces trous sont restés et c'est par là que passent les vapeurs pour monter en mon cœur puisque je n'ai rien oublié de mon enfance.

Un jour, le grand conteur, historien et traditionaliste Koullel, qui s'était tellement attaché à moi depuis mon enfance que l'on m'avait surnommé "Amkoullel" (c'est-à-dire "le petit Amadou de Koullel" ou "fils de Koullel"), vint à la maison. Il surprit Diaraw en train de chanter à son petit garçon, âgé de quelques mois, une berceuse en poésie improvisée, comme savaient le faire les femmes à cette époque, et où elle exprimait toute sa tristesse :

Dors mon enfant, dors, que je veille et attende ton père, que ton grand-père arrêta.
Suis-je veuve ? Es-tu orphelin ?
Nul devin ne saurait nous le dire.
J'ai interrogé le soleil,
les étoiles sont restées muettes,
la lune ne fut pas plus éloquente.
Les obscurités me dirent :
"Nous avons avalé ton mari. Femme, pleure !"
L'aurore de la présence est lointaine,
le bien-aimé est absent.
Thiam, où es-tu ? C'est moi, Tall, qui le demande.

Aux extrémités droite et gauche, Nassouni et Fatoma, les deux servantes de Kadidja fréquemment citées dans Amkoullel *; deuxième place à partir de la droite (boubou à ronds blancs) Fanta Hamma, la cousine dont il est question notamment lors du voyage en bateau dans* Amkoullel

Cour de la maison familiale à Bamako, vers 1962

A Bougouni, assis dans un coin de la cour auprès de Koullel, silencieux comme devait l'être tout enfant au milieu des adultes, je ne perdais pas une miette de tout ce que j'entendais. C'est là qu'avant même de savoir écrire j'ai appris à tout emmagasiner dans ma mémoire, déjà très exercée par la technique de mémorisation auditive de l'école coranique. Quelle que fût la longueur d'un conte ou d'un récit, je l'enregistrais dans sa totalité et le lendemain, ou quelques jours après, je le resservais tel quel à mes camarades d'association.

C'est à cette époque que mon surnom d'Amkoullel prit véritablement son sens de "Petit Koullel" et qu'il commença à me valoir quelque prestige parmi les gamins de la ville.

Cour de la maison familiale, vers 1968

Femme peule à Mopti

Je ne suis pas un fils de biberon. J'ai sucé le lait de ma mère et non pas le lait dans une bouteille. C'est pour vous dire que j'ai été élevé traditionnellement car, de mon temps, il n'y avait pas de biberons.

Danse-jeu d'enfants peuls à Mopti

Le sort de l'enfant qui naît à la vie est plus grave que celui de l'homme qui meurt. A son premier contact avec la vie, l'enfant pleure. Il n'a pas tort. Après tout, il est plus douloureux de vivre que de mourir.

CI-CONTRE ET PAGES SUIVANTES :

La troupe dogon "Merediganio" (La Fraternité) à Bandiagara

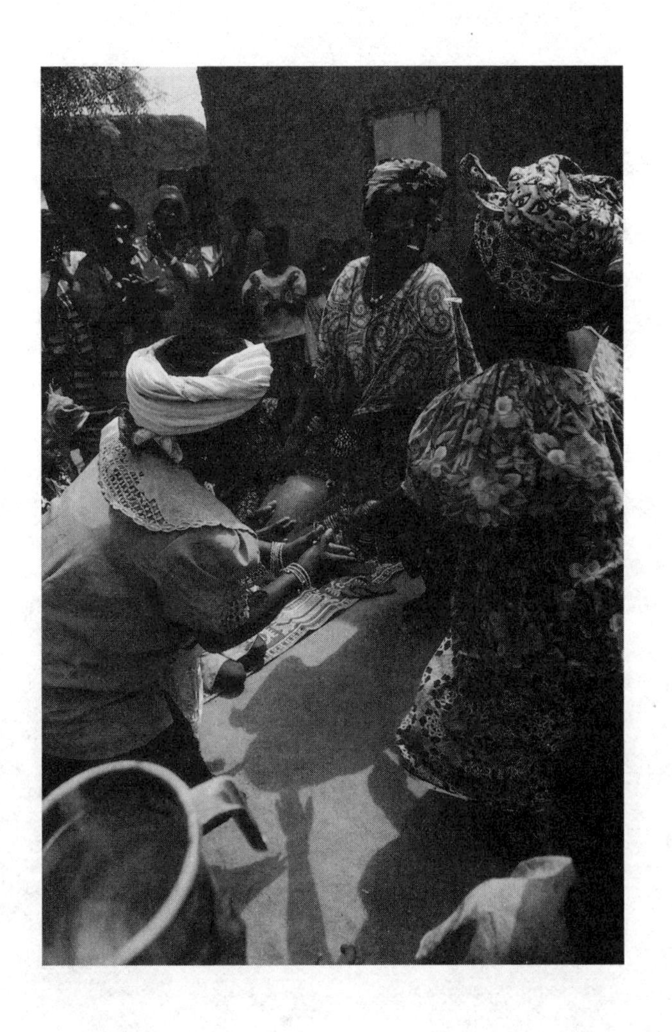

Les bouchers de Bandiagara

DISTINGUER LE VRAI DU FAUX

J'eus pour cicérone la tolérance et pour stimulant le désir de savoir, spirituellement et intellectuellement, le plus possible et partout dans le monde. C'est donc en assoiffé du savoir que je pérégrinai à travers le monde. Ce savoir, je le bus à longs traits partout où je le trouvai, sans mépriser le récipient qui le contenait.

D'aucuns pourraient me reprocher d'avoir accepté d'absorber bien des "bourbes". Ils n'auraient pas forcément tort. Pourtant l'expérience n'a pas été inutile. Je n'avais fait que mettre en pratique l'anecdote que voici.

Distinguer

Un jour, un adepte s'en fut trouver un maître. Il lui demanda l'enseignement des hadiths, c'est-à-dire des paroles prononcées par Mohammad au cours de sa vie prophétique.
Le maître enseigna des hadiths à son adepte durant sept années. Lorsqu'ils furent parvenus à la fin du dernier gros volume, l'adepte qui s'attendait à recevoir son idjaza, ou diplôme de fin d'études, entendit son maître lui dire :
— Enfin ! Demain matin nous commencerons notre étude des hadiths...
Au comble de la stupéfaction, l'élève s'exclama :
— Maître ! Je pensais avoir terminé les hadiths et tu sembles m'apprendre le contraire.

le vrai du faux

Ecole coranique à Bandiagara

— Bien sûr que tu as terminé les hadiths, dit le maître, mais seulement les faux hadiths.
— Et pourquoi, maître, m'as-tu fait perdre de longues et précieuses années à apprendre de faux hadiths ?
— C'était pour te permettre de distinguer les vrais des faux.

A L'ÉCOUTE DE TIERNO BOKAR

Je l'ai déjà dit : tout ce que je suis, je le lui dois. C'est lui qui m'a "ouvert les yeux", comme on dit dans les initiations africaines, et qui m'a appris à lire le grand livre de la nature, des hommes et de la vie en ramenant toutes choses à une unité primordiale. Je lui dois ma formation, ma manière de penser et de me comporter, et cette "écoute de l'autre" qui est peut-être son plus bel héritage, et la meilleure garantie de paix dans les rapports avec autrui.

La tombe de Tierno Bokar
dans le cimetière de Bandiagara

Depuis la mort de Tierno Kounta, je n'avais plus de maître d'école coranique : je m'occupais plus ou moins à réviser mes leçons. En l'absence d'un marabout capable de continuer ma formation, mon père Tidjani Thiam prit sur lui de me donner des cours. Malheureusement, habitué à être implacable avec lui-même, il fut très dur avec moi et, à vrai dire, peu efficace : il réussit tout juste à me dégoûter des études. Ma mère, tenue par les règles de pudeur peules qui interdisaient d'afficher ses sentiments pour ses propres enfants, ne pouvait se plaindre auprès de son mari. Aussi est-ce Diaraw Aguibou, sa coépouse, qui s'en chargea. Elle défendit énergiquement ma cause et obtint de mon père qu'il renonce à me donner des cours en attendant que l'on puisse trouver pour moi un maître valable – ce qui ne se produira qu'à notre retour à Bandiagara lorsque je serai confié à Tierno Bokar.

Libéré, j'en profitais pour aller jouer avec mes petits camarades, mais je passais aussi beaucoup de temps avec Koullel, qui poursuivait mon éducation peule et traditionnelle, et avec Danfo Siné, qui venait souvent me chercher pour m'emmener avec lui.

PAGES SUIVANTES :

Deux tableaux symboliques conçus et réalisés par Amadou Hampâté Bâ. Le premier pour illustrer un enseignement de Tierno Bokar (Maddin), le second pour illustrer un aspect du Tawhid (unité de Dieu à travers sa manifestation).

بسم الله الرحمن
الرحيم اللهم
الملة الحنيفية
الله

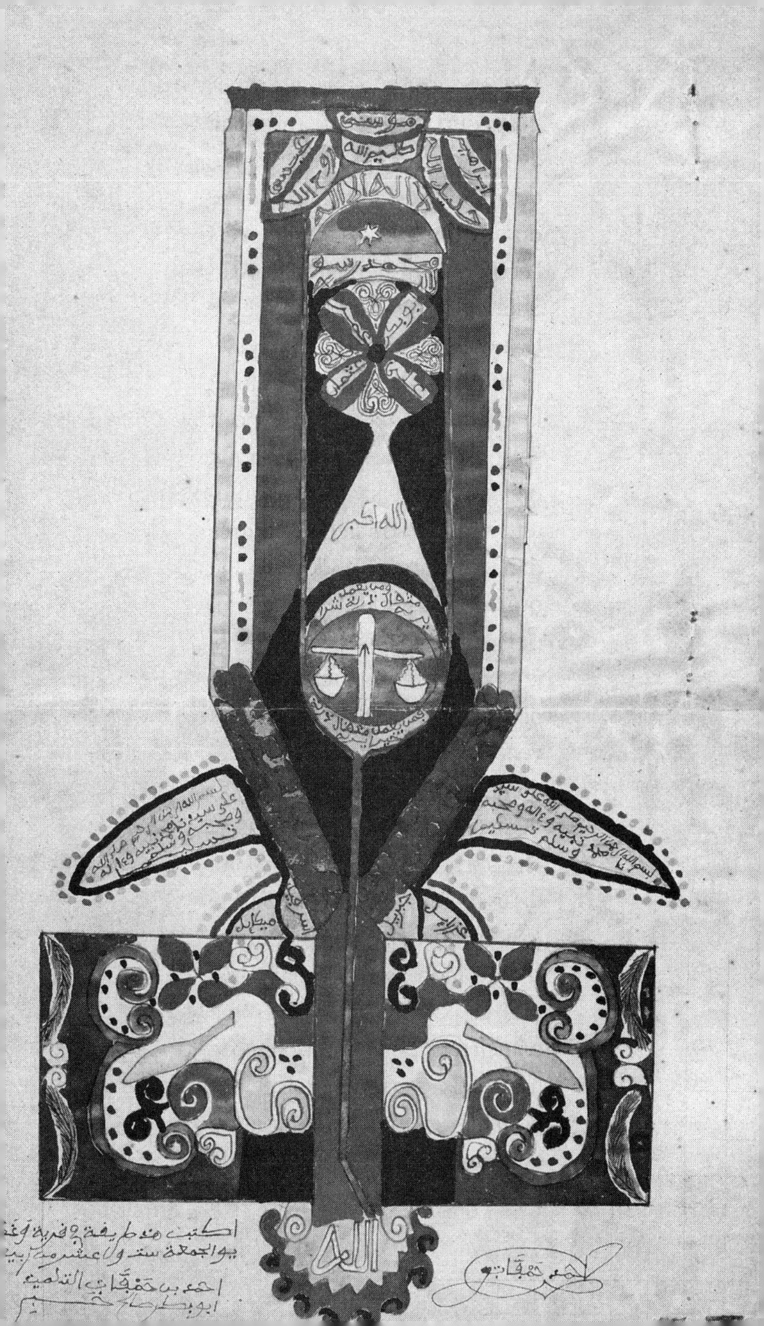
الله أكبر

Mes journées ne variaient pas beaucoup. Niélé me réveillait avant le lever du soleil. Je me débarbouillais, faisais ma prière du matin puis courais vers l'école où m'attendait ma planchette, qui portait encore le texte coranique inscrit la veille. Je m'installais dans un coin et la récitais à haute voix pour l'apprendre par cœur. Chaque élève clamait sa leçon à tue-tête sans se soucier des autres dans un vacarme indescriptible qui, curieusement, ne gênait personne. Vers sept heures, si je savais bien mon texte, je prenais ma planchette et m'avançais vers Tierno. Il se tenait généralement dans le vestibule de sa demeure, plus rarement dans sa chambre. "Moodi ! (maître) lui disais-je, j'ai appris ma leçon." Je m'accroupissais auprès de lui et récitais mon texte. S'il était satisfait, je pouvais aller laver ma planchette pour y inscrire de nouveaux versets dont il me donnait le modèle. Sinon, je conservais ma leçon de la veille et la révisais jusqu'au lendemain, mais je prenais alors un jour de retard sur le délai dont je disposais pour terminer l'apprentissage du Coran – délai qui était traditionnellement de sept ans, sept mois et sept jours, mais certains élèves doués, comme mon grand frère Hammadoun, pouvaient le terminer beaucoup plus tôt. Chaque leçon non apprise était punie par Tierno de quelques légers coups de liane ou, châtiment plus douloureux, d'un pincement d'oreille. Mais cela me semblait bien doux à côté du traitement que j'avais connu à Bougouni avec mon père Tidjani – et sans doute à côté du traitement d'un grand nombre de maîtres d'écoles coraniques de l'époque.

Après avoir copié mon nouveau texte, je le présentais à Tierno. Il le corrigeait, puis le lisait à haute voix tandis que je le suivais du bout de mon index. Retournant dans mon coin, je le rabâchais dix ou quinze fois, ce qui me menait vers huit heures du matin. Tierno me donnait alors la permission de rentrer chez moi.

La tombe de Tierno Bokar dans le cimetière de Bandiagara

On n'enferme pas un homme tel que Tierno Bokar dans un livre. Découper sa vie, sa parole et son enseignement en chapitres bien distincts est une tentative nécessairement artificielle et imparfaite, car un tel homme était un tout. Tout, en lui, était enseignement : sa parole, ses actes, le moindre de ses gestes et jusqu'à ses silences que nous aimions partager, tant ils étaient paisibles. Je me devais pourtant, malgré la difficulté, d'essayer de transmettre ce que j'en ai reçu et qui a marqué toute ma vie. [...] Au début de ce siècle, la lumière de Dieu a brillé sur un homme, Tierno Bokar, que l'on appellait le Sage de Bandiagara.

La grande mosquée de Djenné

Mes seules œuvres de "création" sont encore inédites en français. Il s'agit d'abord de très nombreux poèmes, ou cycles poétiques, que j'ai écrits en peul, soit sur l'enseignement mystique transcrit par mon maître Tierno Bokar, soit d'inspiration personnelle. Mais là encore, la main qui écrit n'est que l'instrument qui pose sur le papier le texte qui jaillit tout formé dans l'esprit.

Photographie du cahier IV des poèmes écrits en "écriture adjami" (alphabet arabe adapté à la langue peule). Les textes traduits sont extraits du cahier I (traduction littérale dictée à Hélène Heckmann par Amadou Hampâté Bâ en mai 1985).

Quand je suis arrivé
(dans la haute brousse)
j'ai vu un arbre immense !
C'était un baobab.
Je me suis reposé
sous son ombre.

Le baobab, ses racines,
ses branches et son tronc,
ses fleurs, ses fruits,
ses graines,
tout est remède.

Je m'isolerai
dans la haute brousse
qui longe la rive
du grand fleuve.
Là, la lumière respire
et ses rayons illuminent
tout l'espace.

Le fleuve exhale un souffle
*chargé de poussière d'eau**.
Ce souffle engendre
*une brise***
qui active le travail
*des poumons****.

* Poussière d'eau : "graines d'eau" : gouttes, molécules d'eau.
** "Yarara" : c'est le souffle léger que l'on sent au bord des cours d'eau, qui met à l'aise et qui rafraîchit. On entend par là les conseils d'un maître.
*** Les "poumons", ce sont les pensées et la compréhension de l'élève, sa pratique, son adoration de Dieu. C'est comme un "élève-maître apte à enseigner, mais qui continue d'apprendre.

Même si l'or est enveloppé
dans un chiffon souillé
et jeté sur un
"village d'ordures"
cela ne diminue en rien
la valeur de l'or.

Celui qui me conseille,
je le préfère à celui
qui me loue,
car le louangeur
peut me hisser là où,
en vérité,
je ne suis point parvenu.

*Il n'est point de parole**
qui permette à l'homme
de connaître Dieu.
Ceux qui ont connu Dieu
deviennent muets
du mutisme de la pierre.

* Littéralement : il n'est point de "comment parler"... Il n'existe pas une manière de s'exprimer qui permette de réaliser ou de comprendre Dieu. Tant que l'on explique Dieu comme ceci ou comme cela, c'est qu'on ne l'a pas encore connu. Quand on l'a seulement approché, on se tait.

La vérité est comme
une braise ardente,
elle brûle qui
ne l'a pas comprise.
Pour pouvoir être saisie,
elle doit être enveloppée
*dans quelque chose**...

* Pour être saisi, un tison doit être pris par des tenailles ou enveloppé dans un chiffon. Sous-entendu : vous voulez dire des vérités, mais sachez d'abord ce que c'est que la vérité. Soyez indulgents, ne dites pas des vérités crues. La vérité brûle !...

Quiconque
ne tient pas compte
de ce qu'il était hier,
demain ne sera rien,
absolument rien.

Celui qui dit :
"Je n'imiterai pas ceux qui
nous ont précédés hier",
son aujourd'hui sera difficile.
Demain on ne l'imitera pas.

Fais beaucoup de bien,
puis va le jeter dans le fleuve.
Si les poissons l'ignorent,
Dieu le saura.

La grande mosquée de Djenné

Dieu, c'est l'embarras
des intelligences
humaines.

Potière à Djenné

Qu'est-ce que Dieu sinon un potier, et en même temps un casseur de pots ?

Potières à Djenné

L'eau est à l'image de Dieu sur la terre.
Elle peut prendre toutes les formes sans en avoir aucune. Elle n'a pas de forme, elle n'a pas de couleur, elle n'a pas de saveur.
C'est Dieu en matériel.

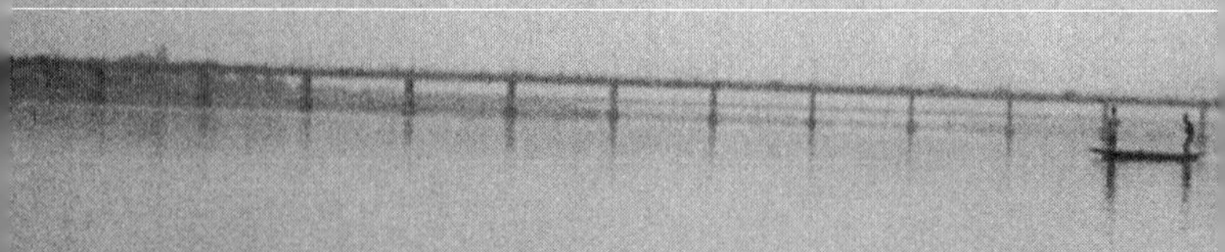

Le fleuve Niger à Mopti

Portée par le courant, la pirogue avançait rapidement vers l'est, sur les eaux du grand fleuve qui semblait s'ouvrir en deux devant elle. Les eaux étaient si claires qu'on y voyait évoluer les poissons jusque sur le fond, comme dans un aquarium. Derrière nous, à l'ouest,

Le fleuve Niger à Diafarabé

le panorama de Koulikouro s'estompait. Les berges hautes, les arbres, les dunes de sable, le monticule derrière lequel avait disparu la silhouette de ma mère, tout semblait se précipiter vers l'ouest au secours de Koulikoro qui s'enfonçait dans le vide.

Le fleuve Niger à Diafarabé

Le port de Mopti

Ségou, bâtie sur la haute berge de la rive droite, surplombe le fleuve et s'allonge démesurément avec lui. La teinte ocrée de ses maisons, faites de briques de pisé séchées au soleil, se marie agréablement avec les diverses nuances de verdure des grands arbres qui, aujourd'hui encore, ombragent les rues et les grandes places de cette belle cité.

La mosquée du roi Biton Mamary Coulibaly à Ségoukoro

La mosquée de la mère du roi Biton Mamary Coulibaly à Ségoukoro

Restaurant à Ségou

Vitrine de photographe à Ségou

Tisserandes à Ségou

Si l'art du forgeron est lié aux mystères du feu et de la transformation de la matière, l'art du tisserand, lui, est lié au mystère du rythme et de la parole créatrice se déployant dans le temps et dans l'espace.

Tailleur à Djenné

Tisserand à Bandiagara

Berger peul à Mopti

Les caprins, ovins et bovins et leurs maîtres peuls sont presque frères. Mais à bien regarder les choses, ce sont les Peuls qui semblent avoir été créés pour servir le troupeau et non les bêtes pour profiter aux Peuls.

Bergers peuls à Mopti

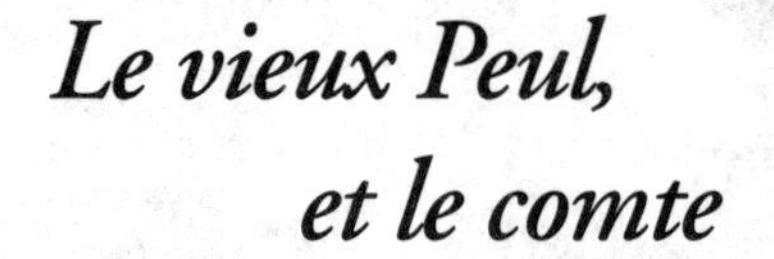

Le vieux Peul, et le comte

On dit que l'engendreur peine pour l'éducateur. Prenez le comte de Paris, par exemple. Il se considère aujourd'hui comme le roi de France, bien que la royauté n'existe pas, et on l'appelle "Monseigneur" ! Si le fils du comte de Paris est élevé par un forgeron de Lobigao et si le fils du forgeron de Lobigao est élevé par le comte de Paris, vingt et un ans après, faites-les venir tous les deux. Qui aura l'allure, les airs et la façon de se comporter du comte de Paris ? Qui sera le fils du comte de Paris ? Cela, ce sera par l'effet de l'éducation.

C'est pourquoi l'éducation est une question fondamentale. Si vous

l'autruche de Paris

n'éduquez pas votre enfant (vous-même), il cesse d'être votre enfant pour devenir un étranger qui est descendu chez vous.

C'est l'histoire d'un vieux Peul qui n'avait jamais vu d'autruche. Or, un jour, sur la place du village, il voit arriver une autruche, conduite par un captif maure. Comme il avait ses petits-enfants assis autour de lui, il dit au captif maure : "Eh ! Eloigne-toi, les enfants ont peur de cette bête !" En réalité, ce n'étaient pas les enfants qui avaient peur de l'autruche, c'était le vieux Peul lui-même. (Rires.)

L'autruche a continué à avancer, à avancer... Lorsqu'elle est arrivée à proximité du vieux Peul, il a détalé, il s'est sauvé ! Les enfants, eux, se sont levés pour entourer l'autruche. Or, l'autruche, quand on chahute un peu autour d'elle, elle croit qu'on l'applaudit et se met à danser. L'autruche s'est donc mise à danser... et comme elle danse très bien, une cohue s'est formée autour d'elle.

Le vieux Peul, honteux, est revenu tout doucement, tout doucement... S'appuyant sur l'épaule d'un camarade, il a observé attentivement l'autruche : ses pattes, son long cou...

A ce moment un autre vieux Peul, qui lui non plus n'avait jamais vu d'autruche, s'approcha [lui aussi] tout doucement et dit à son camarade : "Eh, qu'est-ce que c'est que cette bête, là ?" Le vieux Peul répondit : "Ts ! ts ! ts ! C'est un coq qui a trouvé l'endroit qu'il faut et il a grandi !" (Rires.)

Donc, quand un coq trouve le lieu idéal, il devient autruche... Cela veut dire : quand le fils du forgeron de Lobigao trouve une éducation de fils de comte de Paris, il devient le fils du comte de Paris.

Mopti avait toujours été le point de départ de mes embarquements pour des pays plus ou moins éloignés, d'abord avec ma mère alors que nous rejoignions mon second père en exil, puis en tant qu'écolier quand je commençai à découvrir le monde.

A Diafarabé

Au bord du fleuve Niger près de Massina

III

A l'école du caméléon

La parole est un fruit dont l'écorce s'appelle bavardage, la chair éloquence et le noyau bon sens.

Fauta Lobbo, célèbre griotte peule

La parole écorche et coupe.
Elle modèle, déforme et module.
Elle irrite, amplifie, apaise, rehausse et abaisse.
Elle perturbe, guérit, rend malade et selon sa charge, parfois, tue net.
Une fois émise on ne peut plus la rattraper. Elle déclenche ou termine tout.

A l'école

Si j'ai un conseil à vous donner, je vous dirai : Ouvrez votre cœur ! Et surtout : Allez à l'école du caméléon ! C'est un très grand professeur. Si vous l'observez, vous verrez... Qu'est-ce que le caméléon ?

D'abord quand il prend une direction, il ne détourne jamais sa tête. Donc, ayez un objectif précis dans votre vie, et que rien ne vous détourne de cet objectif.

Et que fait le caméléon ? Il ne tourne pas la tête, mais c'est son œil qu'il tourne. Le jour où vous verrez un caméléon regarder, vous verrez : c'est son œil qu'il tourne. Il regarde en haut, il regarde en bas.

du caméléon

Cela veut dire : Informez-vous ! Ne croyez pas que vous êtes le seul existant de la terre, il y a toute l'ambiance autour de vous !

Quand il arrive dans un endroit, le caméléon prend la couleur du lieu. Ce n'est pas de l'hypocrisie ; c'est d'abord la tolérance, et puis le savoir-vivre. Se heurter les uns les autres n'arrange rien. Jamais on n'a rien construit dans la bagarre. La bagarre détruit. Donc, la mutuelle compréhension est un grand devoir. Il faudrait toujours chercher à comprendre notre prochain. Si nous existons, il faut admettre que, lui aussi, il existe.

Et que fait-il, le caméléon ? Quand il lève le pied, il se balance, pour savoir si les deux pieds déjà posés ne s'enfoncent pas. C'est après seulement qu'il va déposer les deux autres. Il balance encore... il lève... Cela s'appelle : la prudence dans la marche.

Et sa queue est préhensible. Il l'accroche. Il ne se déplace pas comme ça... Il l'accroche, afin que si le devant s'enfonce, il reste suspendu. Cela s'appelle : assurer ses arrières... Ne soyez pas imprudents !

Et que fait le caméléon quand il voit une proie ? Il ne se précipite pas dessus, mais il envoie sa langue. C'est la langue qui va la chercher. Car ce n'est pas la petitesse de la proie qui dit qu'elle ne peut pas vous faire mourir. Alors, il envoie sa langue. Si sa langue peut lui ramener sa proie, il la ramène, tranquillement ! Sinon, il a toujours la ressource de reprendre sa langue et d'éviter le mal…

Donc, allez doucement dans tout ce que vous faites !

Si vous voulez faire une œuvre durable, soyez patients, soyez bons, soyez vivables, soyez humains !

Carnaval pour enfants à Mankala

Selon l'expression bambara : *Maa ka maaya ka ca a yere kono* : "Les personnes de la personne sont multiples dans la personne."

Ma propre mère, lorsqu'elle voulait me rencontrer pour une affaire quelconque, avait coutume de demander au préalable à mon épouse : "Laquelle des personnes de mon enfant l'habite aujourd'hui ? Est-ce le

toubab ? Est-ce l'homme de religion ? Ou est-ce mon fils ?" Si ma femme lui répondait "C'est ton fils", elle entrait sans aucun ménagement et me dictait ses volontés. Si elle lui répondait "C'est l'homme de Dieu", ma mère se contentait de me faire des propositions. Mais si ma femme déclarait "C'est le toubab", alors ma mère repartait sans même essayer de me voir.

Baobab à Diafarabé

La tradition doit être considérée comme un arbre. Il y a le tronc mais il y a les branches. Et un arbre qui n'a pas de branches ne peut donner d'ombre. C'est pourquoi il faudrait que les traditions élaguent elles-mêmes les branches qui meurent. Je suis contre la conservation aveugle et totale des traditions comme je suis contre la négation totale des traditions parce que ce serait une négation, une abdication de la personnalité africaine.

Dans le bureau de son domicile à Treichville (Abidjan), vers 1966

A l'ambassade d'Abidjan entre 1962 et 1966

Vouloir étudier l'Afrique en rejetant les mythes, contes et légendes qui véhiculent tout un antique savoir reviendrait à vouloir étudier l'homme à partir d'un squelette dépouillé de chair, de nerfs et de sang.

En Afrique, peut-être plus qu'ailleurs, hier est encore contenu dans aujourd'hui. Il en est – pour combien de temps

Dans son salon à son nouveau domicile,
Marcory (quartier d'Abidjan) en 1985

encore ? – la sève nourricière. Aussi la connaissance et la sauvegarde des trésors du passé nous aideront-elles non seulement à mieux comprendre le présent et à l'aménager pour le bonheur des hommes, mais encore, demain, à apporter notre contribution au grand rendez-vous "du donner et du recevoir" des nations.

Dans son bureau à Marcory vers 1972

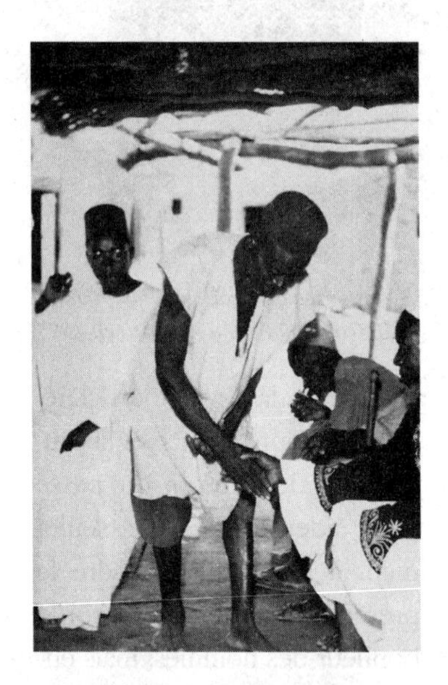

Assis à gauche en visite chez un marabout alors qu'il était ambassadeur, entre 1962 et 1966, Abidjan.

C'est parce que je suis attaché à la défense des traditions orales, véhiculées par tant de connaissances, que j'ai éprouvé le besoin d'écrire, non pour moi-même, mais pour fixer ces traditions et en assurer le sauvetage. L'écriture est le moyen de fixer l'oralité.

Fin d'une visite à un marabout alors qu'il était ambassadeur, entre 1962 et 1966, Abidjan

Dans la famille d'un informateur, Mali, 1966

Niger, 1971, avec René Zuber, pour le tournage du film Les Peuls

Dans un campement peul au Niger en 1971

Tournage du film Koumen *en 1977*

Il n'y a qu'un seul sommet en haut de la montagne mais les chemins pour y parvenir peuvent être variés.

La croix et

Prière collective au mont Sion, avec un rabbin et un prêtre, éclairés par un candélabre à neuf branches. 20 juin 1961

Mes efforts sont modestes et je ne prétends pas, à moi tout seul, faire parler "la Croix et le Croissant". Mais faire se parler et se rencontrer des hommes de bonne volonté relevant de la Croix et du Croissant, cela, oui, c'est possible. Et d'ailleurs, mes modestes tentatives ont déjà connu quelques résultats. C'est ainsi – entre autres – que dans la nuit du 20 au 21 juin 1961, j'ai pu, après de multiples péripéties, réunir au mont Sion, à Jérusalem, un prêtre et un rabbin et que, tous les trois, nous avons prié en commun pour la paix et l'entente entre les hommes, après que chacun eut récité le texte le plus sacré de sa religion.

Prière au mont Sion

Je considère le judaïsme, l'islam et le christianisme comme les trois frères d'une famille polygame où il n'y a qu'un seul père, mais où chaque mère a élevé son enfant selon la coutume qui lui est propre. Chacune des épouses a parlé de son époux à ses enfants selon sa propre conception.

Je ne me sens pas vieux. Intérieurement, je ne me sens pas différent de ce que j'étais lorsque j'avais douze ans. Mais c'est le corps qui a vieilli. Il ne se prête plus à tout ce que mon esprit voudrait lui faire faire.

Il y a un temps pour étudier. Si ce temps passe, cela ne rentre plus, le cerveau sera cuit. Quand on fait un couscoussier, on perce les trous avant que la terre soit cuite. Une fois qu'elle est cuite, si vous voulez faire un trou elle se casse. Il faudrait méditer cela…

Jeune talibé à Ségou

Si vous cherchez un homme heureux, venez chez moi. Je danserai avec les bouffons, je parlerai avec les vagabonds.

J'ai une peau de crocodile pour me coucher n'importe où sur n'importe quoi, un estomac d'autruche pour pouvoir manger n'importe quoi et un cœur de tourterelle pour ne jamais me battre. Voilà mon adage !

J'ai bénéficié d'avoir été élevé comme un enfant africain. Je peux dire que je n'ai eu de contact avec l'extérieur, d'une façon générale, qu'au moment où j'étais déjà un homme formé. En effet, j'avais cinquante ans quand je suis venu en France. J'étais déjà une bouteille pleine. On ne pouvait que me colorer, on ne pouvait plus ajouter quelque chose à ce que je connaissais.

Devant le hall de l'Unesco, Paris, 1960 ou 1962

Danse-jeu d'enfants à Mopti

Jeune fille à Bamako

Jeunes filles au bord du fleuve Niger à Bamako

IV

Vous avez dit
“Hampâté Bâ
le Sage”...

Laissez-moi
rire !

Vous avez dit "Hampâté Bâ le Sage"... Laissez-moi rire ! J'ai failli me retourner pour voir s'il n'y avait pas un autre Hampâté Bâ derrière, parce que sage... Je vous remercie beaucoup. Je souhaiterais l'être mais c'est tellement difficile.

Paris, 1981

Sa andi a anda a anda
Si tu sais que tu ne sais pas, tu sauras.

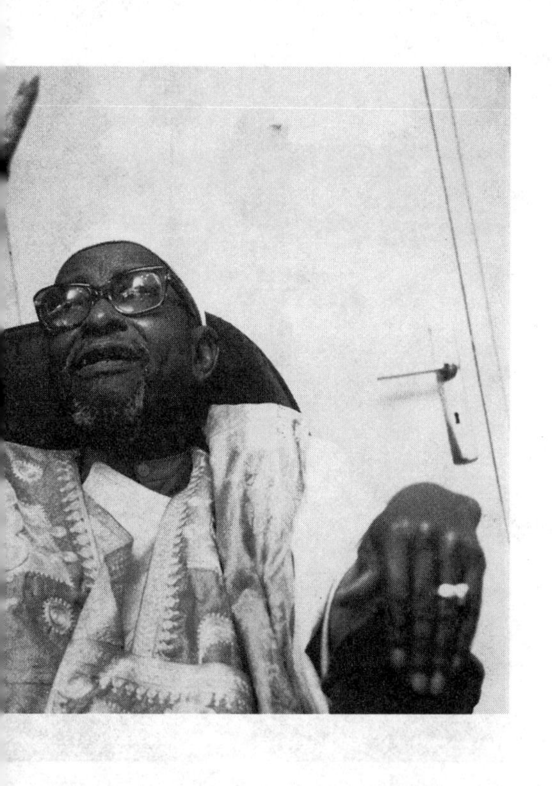

Sa anda a anda a andata
Si tu ne sais pas que tu ne sais pas, tu ne sauras pas.

Un bras du fleuve Niger à Banankouro (près de Ségou)

Sache, ô néophyte ! que le savoir est plus précieux que l'ambre pur et le corail blanc. Il vaut mieux que l'or sans mélange et le diamant sans altération.

Pourquoi ?
Parce que le savoir est l'unique fortune que l'on peut entièrement donner sans en rien la diminuer.

La vérité est patiente. C'est une femme qu'on peut répudier mais qu'on sera toujours obligé de reprendre. Or, reprendre sa femme divorcée n'est pas un acte de débauche, c'est avouer son erreur.

Même s'il n'est qu'une petite mare de brousse, chacun d'entre nous peut essayer de maintenir pure et paisible l'eau de son âme, afin que le soleil puisse s'y mirer tout entier.

Le sommeil est le thermomètre de la bonne santé, donc de la paix du corps. L'Occident ne dort plus, il est malade. Non seulement l'Afrique dort mais elle rit. Le rire est le thermomètre de la paix du cœur. L'Afrique rit, c'est la preuve qu'elle se porte bien...

Enfants au bord du fleuve Niger à Ségou

Enfants bozos dans la région de Mopti

Cesse d'être ce que tu es afin que je puisse faire de toi ce que je suis. Après tu remettras ce que tu es pardessus ce que je suis. Alors tu seras 1 + 1, toi + moi. Tu seras 2.

Teinturières au bord du fleuve Niger à Bamako

Mesquineries, chefferies, argent, ceci, cela, malheur, bonheur... c'est un grand boubou que je porte. La nuit, avant de monter dans mon lit, je l'enlève, et je le dépose, ça ne m'intéresse pas. Et je monte dans mon lit. Je n'ai jamais fait plus de cinq minutes dans mon lit sans dormir.

Pour l'Afrique traditionnelle, la mort n'existe pas. D'ailleurs, on ne dit pas "mort", on dit "changement de domicile".

Termitières sur la route entre Diafarabé et Massina

Je ne voyage jamais sans mon linceul bien rangé au fond de ma valise, car j'attends la mort à tout instant. Elle ne me surprendra pas. (…) Pour moi, la mort n'est pas une ennemie.

La mort n'existe pas dans la civilisation africaine. Elle est perçue comme un simple déménagement. On quitte une demeure pour une autre. Dans la philosophie africaine, la mort n'épuise pas l'âme, même si elle épuise le corps.

Paris, 1975

Je n'ai jamais eu la prétention de faire école, j'ai eu la prétention d'être moi-même, d'abord, et d'être sûr que je suis moi-même.

Je n'ai pas à vouloir que la postérité retienne de moi telle ou telle image... C'est à la postérité de se faire de moi l'idée qu'elle voudra. Je souhaiterais seulement que cette image soit celle que j'ai méritée : outrancière ni dans un sens, ni dans un autre.

Combien de fois des jeunes gens m'ont dit : "Monsieur Hampâté Bâ, vous êtes dépassé." Je leur ai répondu : "Mais c'est vous qui n'êtes pas arrivés."

Amadou Hampâté Bâ

SOURCES ICONOGRAPHIQUES

p. 11, 12, 21, 35, 41, 54, 56-57, 65, 126, 134, 135, 136, 137, 138, 142-143, 149, 158-159, 172-173 : documents Hélène Heckmann
p. 17 : © Pierre-André Pittet
p. 18 : © Bablin/Unesco
p. 39, 134, 138 : © Lilyan Kesteloot
p. 13, 127, 128 : © Alpay/RFI
p. 139 : © Ludovic Segarra

Toutes les autres photographies, sauf p. 6, sont de Philippe Dupuich.

ANNEXES

BIOGRAPHIE

Né en janvier-février 1900 à Bandiagara (Mali), de Hampâté Bâ, descendant d'une famille peule noble, et de Kadidja Pâté, fille de Pâté Poullo Diallo, un maître d'initiation pastorale peule (silatigui) qui abandonnera tout pour suivre El Hadj Omar et deviendra son compagnon et son ami.

Trois ans après la naissance de l'enfant, son père, Hampâté Bâ, meurt. Kadidja Pâté épouse en secondes noces Tidjani Amadou Ali Thiam, un noble toucouleur chef de la province de Louta, qui adopte officiellement le jeune Amadou. Destitué de son poste après des incidents locaux, condamné à l'emprisonnement et à l'exil, il passera plusieurs années à Bougouni, en pays bambara. C'est là que pour la première fois le jeune Amadou découvrira le monde des traditions bambaras.

1908	Après la libération de son père adoptif, retour à Bandiagara. Ecole coranique avec pour maître Tierno Bokar Salif Tall, qui sera plus tard son maître spirituel.
1912	Est réquisitionné d'office pour l'école française en tant que "fils de chef", à Bandiagara d'abord, puis à l'école régionale de Djenné.
1915	Après l'obtention du certificat d'études, se sauve pour rejoindre sa mère à Kati.

1917	Retour à l'école, en reprenant ses études à la base (école primaire de Kati, puis école régionale de Bamako). Obtention d'un deuxième certificat d'études, puis école professionnelle de Bamako où il prépare le concours d'entrée pour l'Ecole normale William Ponty à Gorée.
fin 1921	Réussit son concours d'entrée. Sa mère s'opposant formellement à son départ pour Gorée, il refuse de se joindre au groupe d'élèves en partance. A titre de punition, le gouverneur l'affecte d'office au poste le plus éloigné, Ouagadougou, en qualité d'"écrivain temporaire à titre essentiellement précaire et révocable".
1922 à 1932	Occupe plusieurs postes en Haute-Volta (actuel Burkina Faso). Franchit les échelons administratifs par concours internes.
1933	Congé de six mois qu'il passe entièrement à Bandiagara, auprès de Tierno Bokar qui lui transmet son enseignement de façon intensive.
1933 à 1942	En qualité de commis d'administration coloniale, occupe le poste de premier secrétaire de la mairie de Bamako et épisodiquement celui d'interprète du gouverneur (sans appartenir au corps des interprètes).
1942	Après plusieurs années de difficultés du fait de son appartenance à une branche de la confrérie islamique Tidjaniya mal vue des autorités françaises, il est détaché à l'IFAN (Institut français d'Afrique noire) de Dakar où le professeur Théodore Monod, fondateur-directeur de cet institut, a réussi à le faire affecter.

Amadou Hampâté Bâ, désormais protégé contre toute tracasserie, se consacre à plein temps à sa vocation de chercheur. Affecté à la section "Ethnologie", il fait des enquêtes sur le terrain, recueille des traditions orales, et surtout poursuit sa longue enquête (de quinze ans) qui aboutira à la rédaction de *l'Empire peul du Macina,* ouvrage historique réalisé à partir des seules données de la tradition orale, cosigné avec Jacques Daget. Dès cette époque, A. Hampâté Bâ commence à publier de nombreux articles dans différentes revues africaines et, bien sûr, dans le bulletin de l'IFAN.
En 1944, il présente pour la première fois le texte en prose du conte peul initiatique *Kaïdara*, ce qui lui vaut de recevoir le prix de l'Afrique occidentale française pour "travaux d'ordre scientifique et documentaire".

1942 à 1958 — Travaille pour l'IFAN au Sénégal, en Guinée et au Soudan français, en qualité de préparateur principal, puis d'agent technique. Accomplit de grandes tournées d'enquête au Sénégal, en Guinée, au Niger, en Haute-Volta, au Soudan français, en Mauritanie et dans le nord de la Côte d'Ivoire. En fait, il n'a cessé, depuis son enfance, de recueillir les richesses de la tradition orale, d'abord dans le milieu familial, puis dans les milieux peuls où il a vécu, au Mali comme en Haute-Volta. Dans une première phase, il a tout enregistré de mémoire ; dans une deuxième phase, à partir de vingt et un ou vingt-deux ans (départ pour Ouagadougou), il a tout noté systématiquement par écrit (documents manuscrits qui donneront naissance à l'important Fonds d'archives Amadou Hampâté Bâ). A partir de son passage à l'IFAN, il a mené des enquêtes plus systématiques sur des sujets donnés.

1946 Pressenti par l'administration coloniale française pour se présenter aux élections désignant les délégués à l'Assemblée constituante, il refuse par principe religieux, l'ordre auquel il appartient déconseillant d'exercer des fonctions "de commandement" ou des fonctions politiques.

1951 Entre-temps il obtient, sur proposition du professeur Monod, une bourse de l'Unesco pour un séjour libre d'un an à Paris. C'est là qu'il noue des relations d'amitié dans les milieux africanistes et orientalistes de cette ville (Marcel Griaule, Germaine Dieterlen… mais aussi Louis Massignon). Par la suite, il reviendra au moins une fois par an en France, et donnera des séries de conférences à la Sorbonne sur la civilisation et la culture peules.

1957 Est nommé administrateur de la SORAFROM (Société de radiodiffusion française outre-mer). Réalise de nombreuses émissions culturelles.

1958 Président du Conseil de rédaction du mensuel *Afrique en marche*, qui paraît pendant un an. Y publie de nombreux contes et récits historiques. Après l'indépendance du Mali, en 1960, fonde à Bamako l'Institut des sciences humaines, dont il assume la direction jusqu'en 1961.

1960 Fait partie de la délégation du Mali à la Conférence générale de l'Unesco.

1962 Est élu à l'Unesco comme membre du Conseil exécutif pour quatre ans. Ce mandat lui sera exceptionnellement renouvelé en 1966.

En 1962 également : exerce, pour quatre ans, les fonctions d'ambassadeur extraordinaire et ministre plénipotentiaire du Mali en Côte-d'Ivoire (1962-1966). Bien qu'ayant toujours, pour raisons religieuses, refusé toute fonction politique ou honorifique, accepte ce poste momentanément pour rendre service à son pays qui, après sa rupture avec le Sénégal (éclatement de la Fédération du Mali), a besoin de la libre disposition du port d'Abidjan. A. Hampâté Bâ est chargé de cette mission en raison de sa vieille amitié avec le président Houphouët-Boigny. Il se démet de ses fonctions lorsque son pays renoue des relations normales avec le Sénégal et retrouve la disposition du port de Dakar.

1965-1966 Participe activement, au nom de l'Unesco, à la préparation du colloque de Bamako de février/mars 1996 : élaboration d'un système alphabétique unifié pour la transcription des langues africaines. Présentation d'un mémorandum sur les dispositions à prendre d'urgence par l'Unesco pour l'unification des alphabets des langues nationales en Afrique occidentale. La "réunion d'experts" organisée par l'Unesco à Bamako, du 28 février au 5 mars 1966, fut suivie par une réunion pour l'unification des transcriptions à Yaoundé du 17 au 26 mars 1966, pour l'élaboration d'un plan régional à long terme. Pendant toute cette période, il participe à de nombreux colloques ou séminaires à travers le monde, en grande partie consacrés aux civilisations et cultures africaines.

Est membre cofondateur de la Société africaine de culture.
Participe au premier Festival des Arts nègres.

1970 Fin de son mandat à l'Unesco. Désormais il se consacre à ses propres travaux, tout en continuant ses tournées à travers le monde.
Il écrit et publie de nombreux titres parmi lesquels *L'Etrange Destin de Wangrin* pour lequel il reçoit le Grand Prix littéraire de l'Afrique noire en 1974 ; *Jésus vu par un musulman* en 1976, le conte drolatique peul *Petit Bodiel* et la version en prose de *Kaïdara* en 1977 ; une version réécrite et complétée de *Vie et enseignement de Tierno Bokar* en 1980 ; le conte fantastique et initiatique peul *Njeddo Dewal mère de la calamité* en 1985 ; un recueil de contes et récits du Mali, *La Poignée de poussière* en 1987.
Jusqu'en 1986, il reçoit régulièrement des visiteurs et se consacre à l'alphabétisation des jeunes peuls.
A la fin de sa vie, il n'écrit plus mais supervise le classement et le microfichage de ses archives manuscrites qui constituent aujourd'hui le "Fonds Amadou Hampâté Bâ". Il travaille également à la mise au propre de son autobiographie qui sera publiée, après sa mort survenue le 15 mai 1991, sous le titre *Amkoullel l'enfant peul*, en 1991, suivi par *Oui mon commandant !* en 1994 ; un troisième volume demeurant à paraître.

BIBLIOGRAPHIE

Koumen, texte initiatique des pasteurs peuls, avec G. Dieterlen, éd. Mouton, Paris, 1955, "Les Cahiers de l'Homme" (épuisé).

Kaïdara, récit initiatique peul, coll. "Les Classiques africains", anciennement éd. Julliard, Paris, 1969 ; puis Armand Colin, aujourd'hui "Les Belles Lettres". Version poétique bilingue.

Aspects de la civilisation africaine, éd. Présence africaine, Paris, 1972. Ouvrage réalisé à partir de quatre conférences ou articles d'A. Hampâté Bâ.

L'Etrange Destin de Wangrin, coll. 10-18, Presses de la Cité, Paris, 1973. Grand Prix littéraire de l'Afrique noire de l'ADELF en 1974. Prix littéraire francophone international en 1983.

L'Eclat de la grande étoile, suivi du *Bain rituel*, coll. "Les Classiques africains", éd. Les Belles Lettres, Paris, 1974. Version poétique bilingue.

Jésus vu par un musulman, Nouvelles Editions Africaines (NEA) d'Abidjan, 1976 (épuisé).

Petit Bodiel, NEA d'Abidjan, 1977 (épuisé). Conte drolatique peul.

Kaïdara, NEA d'Abidjan, 1977. Version en prose.

Vie et enseignement de Tierno Bokar, le Sage de Bandiagara, coll. "Points Sagesse", éd. Le Seuil, Paris, 1980. Version réécrite et complétée du texte publié en 1957 aux éditions Présence africaine.

L'Empire peul du Macina (tome I) avec J. Daget, NEA d'Abidjan/EHESS, Paris, 1984. Reprise du texte de l'édition Mouton en 1955.

Njeddo Dewal mère de la calamité, NEA d'Abidjan, 1985. Grand conte fantastique et initiatique peul. Forme une trilogie avec *Kaïdara* et *L'Eclat de la grande étoile.*

La Poignée de poussière, contes et récits du Mali, NEA d'Abidjan, 1987.

ÉDITIONS ET RÉÉDITIONS POSTHUMES

AUX ÉDITIONS ACTES SUD

Amkoullel l'enfant peul, Mémoires I, 1991 ; Babel n° 50, 1992. Prix des Tropiques CCCE (décembre 1991) ; Grand Prix littéraire de l'Afrique noire hors concours pour *Amkoullel l'enfant peul* et l'ensemble de son œuvre.
Oui mon commandant !, Mémoires II, 1994 ; Babel n° 211, 1996.

AUX NOUVELLES ÉDITIONS IVOIRIENNES/EDICEF

(reprise des titres épuisés ex-NEA d'Abidjan) :
Jésus vu par un musulman, 1993.
Petit Bodiel, 1993.
La Poignée de poussière, 1994.
Njeddo Dewal mère de la calamité, 1994.
Kaïdara, récit initiatique peul, 1994.

AUX ÉDITIONS STOCK

Jésus vu par un musulman, 1994, enrichi d'une postface et de textes supplémentaires.
Petit Bodiel et autres contes de la savane, 1994, réunissant *Petit Bodiel* et *La Poignée de poussière*, enrichi d'une postface.
Contes initiatiques peuls, 1994, réunissant *Njeddo Dewal mère de la calamité* et *Kaïdara*, enrichi d'une postface.
Il n'y a pas de petite querelle ou nouveaux contes de la savane, 1999.

AUX ÉDITIONS J'AI LU

Amkoullel l'enfant peul, 1997.

SOURCES DES TEXTES

I. JE SUIS…

p. 10, 16, 19 : Entretien *Jeune Afrique* n° 753, 13 juin 1975.
p. 11 : Phrase souvent répétée à l'Unesco par Amadou Hampâté Bâ.
p. 12 : Réponse à un étudiant (inédit), dans les années soixante-dix.
p. 14 et 15 : Colloque "Technique et Démocratie", Unesco + brouillon manuscrit du texte.
p. 20 : Entretien avec Pierre Dumayet, émission télévisée "D'homme à homme", TF1, 25 mars 1984.
p. 21 : Conférence devant le Mouvement des étudiants et élèves de Côte-d'Ivoire.

II. JE N'AI JAMAIS CESSÉ D'ÊTRE UN ENFANT

p. 26 : "Poésie peule du Macina", *Présence africaine*, numéro spécial 8-9.
p. 30 : *Amkoullel l'enfant peul*, Actes Sud, 1991.
p. 35 : Arbre généalogique d'El Hadj Omar conçu et réalisé par Amadou Hampâté Bâ.
p. 37 : Entretien avec Jean Devisse, série "Rencontres", RFI, Paris.
p. 38 : *Amkoullel l'enfant peul*, Actes Sud, 1991.
p. 40 : *Amkoullel l'enfant peul*, Actes Sud, 1991.
p. 42 : Entretien avec Bebet Thiam pour Radio Côte d'Ivoire/RFI.

p. 43 : Entretien *Jeune Afrique*, n° 1095, décembre 1981.
p. 49-51 : Conférence devant le Mouvement des étudiants et élèves de Côte-d'Ivoire.
p. 53 : *Oui mon commandant !*, Actes Sud, 1994.
p. 54-55 : *Amkoullel l'enfant peul*, Actes Sud, 1991.
p. 56 et 57 : Deux tableaux symboliques conçus et réalisés par A. Hampâté Bâ.
p. 58-59 : *Amkoullel l'enfant peul*, Actes Sud, 1991.
p. 61 : *Vie et enseignement de Tierno Bokar*, "Points Sagesse", Le Seuil, Paris, 1980.
p. 63 : Entretien avec un étudiant (inédit).
p. 65 : Photographie du cahier IV des poèmes écrits en "écriture adjami".
p. 65 à 77 : Traduction littérale des poèmes peuls extraits du cahier I dictés à Hélène Heckmann par Amadou Hampâté Bâ.
p. 79 : *Vie et enseignement de Tierno Bokar*, Le Seuil, 1980.
p. 85 : Tribune du Niger, RFI, "La Voix du Sahel".
p. 88 : *Koumen, le mythe du berger peul*, film de Ludovic Segarra, éditions Alizé Diffusion, Antenne 2, 9 décembre 1979.
p. 90-91 : *Oui mon commandant !*, Actes Sud, 1994.
p. 97 : *Oui mon commandant !*, Actes Sud, 1994.
p. 105 : "En Afrique, cet art où la main écoute", in *Courrier de l'Unesco*, février 1976.
p. 110 : "Des Foulbé du Mali et de leur culture", revue *Abbia* n° 14-15, 1996.
p. 112 à 115 : "Le vieux Peul, l'autruche et le comte de Paris", interview à la *Tribune du Niger*, transcription Hélène Heckmann.
p. 117 : *Oui mon commandant !*, Actes Sud, 1994.

III. A L'ÉCOLE DU CAMÉLÉON

p. 123 : Parole de Tierno Bokar.
p. 125 : Citation du grand poète Koullel, traduite par Amadou Hampâté Bâ (inédit).

p. 126-129 : *A l'école du caméléon*, *in* disque Amadou Hampâté Bâ, "Archives sonores de l'Afrique noire", RFI/CLEF, 1975 et disque compact Amadou Hampâté Bâ, "Les Voix de l'écriture", RFI, 1992.
p. 130-131 : "Africanismo" dans *Enciclopedia del novecento*, Istituto dell'enciclopedia italiana, Rome, 1976 (inédit en français).
p. 133 : Entretien avec Jean Devisse, série "Rencontres", RFI, Paris.
p. 134-135 : Préface à l'*Atlas du Mali*, éditions Jeune Afrique.
p. 136 : Entretien avec Bara Diouf et Hamadoun Touré, *Le Soleil* (Dakar), série de 5 entretiens parus du 31 août au 4 septembre 1981.
p. 141 : Entretien *Le Soleil* (Dakar), 1981.
p. 142-143 (haut) : Entretiens *Le Soleil* (Dakar), 1981.
p. 143 (bas) : Entretien avec Philippe Decraene, 25 octobre 1981, "entretiens avec *Le Monde*", La Découverte/Le Monde
p. 144 : Entretien *Le Soleil* (Dakar), 1981.
p. 145 : Emission télévisée, Abidjan, avec des élèves, 1977.
p. 147 (haut) : Tribune du Niger, RFI, "La Voix du Sahel".
p. 147 (bas) : Avec les élèves d'Abidjan.
p. 148 : Entretien avec Jean Devisse, série "Rencontres", RFI, Paris.

IV. VOUS AVEZ DIT "HAMPÂTÉ BÂ LE SAGE"... LAISSEZ-MOI RIRE !

p. 157 : Tribune du Niger, RFI, "La Voix du Sahel".
p. 158-159 : Entretien avec Enrico Fulchignoni, Unesco, émission "Un certain regard : Amadou Hampâté Bâ", ORTF, diffusé le 5 mars 1969.
p. 160-161 : "Sache, O néophyte ! ..." Enseignement traditionnel lié au conte *Kaïdara*.
p. 162 : Entretien avec Bebet Thiam pour Radio Côte d'Ivoire/RFI.
p. 163 : Aspect de la civilisation africaine (troisième chapitre), Présence africaine.

p. 164 : Entretien avec Siradou Diallo, *Jeune Afrique*, déc. 1981.
p. 165 : Parole de Tierno Bokar.
p. 167 : Tribune du Niger, RFI, “La Voix du Sahel”.
p. 168 : Entretien avec Enrico Fulchignoni, ORTF, 1969.
p. 170 : Entretien *Jeune Afrique* n° 1095, 30 décembre 1981.
p. 171 : Entretien *Jeune Afrique* n° 1095, 30 décembre 1981.
p. 173 : Entretien avec Pierre Dumayet, émission télévisée “D'homme à homme”, TF1, 25 mars 1984.
p. 174 : Entretien avec Bara Diouf et Hamadoun Touré, *Le Soleil* (Dakar), 1981.
p. 175 : Entretien avec Jean Devisse, série “Rencontres”, RFI, Paris.

Philippe Dupuich tient à exprimer sa reconnaissance
à Christian Mousset, directeur du Festival
des musiques métisses d'Angoulême,
ainsi qu'à Eric Surmely.
Grâce à eux, le projet de ce travail est né.
Merci à Gérard et Mariette Dupuich – mes parents –
pour leur confiance et leur soutien constant.
A Amadou *Chab* Touré, compagnon de route,
pour son aide précieuse.
A François Guarino qui, plus qu'il ne peut le croire,
m'a bien aidé.
A Bernard Magnier et à Sabine Wespieser
pour leur enthousiasme.
Enfin, merci à mes amis d'ici et d'ailleurs,
et à Françoise avant tout.

BABEL

Extrait du catalogue

445. NICOLE VRAY
Monsieur Monod

446. MICHEL VINAVER
Ecritures dramatiques

447. JEAN-CLAUDE GRUMBERG
La nuit tous les chats sont gris

448. VASLAV NIJINSKI
Cahiers

449. PER OLOV ENQUIST
L'Extradition des Baltes

450. ODILE GODARD
La Cuisine d'amour

451. M. BARTOLOMEI / J. KERMOAL
La Mafia se met à table

COÉDITION ACTES SUD – LEMÉAC

Ouvrage réalisé par l'atelier graphique Actes Sud. Reproduit et achevé d'imprimer en octobre 2000 par Normandie Roto Impression 61250 Lonrai sur papier des Papeteries de La Gorge de Domène pour le compte des éditions Actes Sud Le Méjan Place Nina-Berberova 13200 Arles. Dépôt légal 1re édition : novembre 2000.
N° imprimeur : 002573
(Imprimé en France)